Pour Apolline, ma fille

L'auteur remercie la Fédération Wallonie-Bruxelles pour son soutien

Loi 49956 du 16 juillet 1949,
sur les publications destinées à la jeunesse.
Dépôt légal : septembre 2014
ISBN 978-2-211-21796-5

Mise en pages : *Architexte*, Bruxelles
Photogravure : *Media Process*, Bruxelles
Imprimé en Italie par *Grafiche AZ*, Vérone

Émile Jadoul

Papa-île

Pastel
l'école des loisirs

Il était une fois
une ourse
qui s'appelait Betty
et un ours
qui s'appelait Jean-Louis.

Jean-Louis l'ours sera bientôt papa.

Est-ce que je serai un super papa ?
se demande Jean-Louis.

Un super papa joue au foot.
Moi, j'aime pas du tout, dit Jean-Louis.

Un super papa plonge
et nage comme un poisson.
Moi, je ne sais pas plonger,
soupire Jean-Louis.

Et puis surtout, un super papa
construit une super cabane pour son petit.
Moi, j'aime pas bricoler ! dit Jean-Louis.

Mais toi, dit tendrement Betty,
tu seras un papa-cabane,
pour protéger notre petit
contre la pluie et le vent.

Toi, tu seras un papa-cheval,
pour emmener notre petit à l'aventure.

Toi, tu seras un papa-île,
pour que notre petit se repose.

Toi, tu seras un papa-avion,
pour que notre petit découvre le monde...

Et quand notre petit ours
partira découvrir ce monde,
tu ne seras jamais loin,
dit Betty.

Jean-Louis sera bientôt papa.
Il sera peut-être même
le super roi des papas.